À Christiane

© 2010, *l'école des loisirs*, Paris

Loi 49956 du 16 juillet 1949,
sur les publications destinées à la jeunesse.
Dépôt légal : décembre 2011
ISBN 978-2-211-09570-9

Mise en pages : *Architexte*, Bruxelles
Photogravure : *Media Process*, Bruxelles
Imprimé en Belgique par *Daneels*

Michel Van Zeveren

C'est pas grave

Pastel
l'école des loisirs

Un jour, Petit Lapin a renversé
son verre de lait.

Il a pleuré,
        pleuré,
                pleuré…

Grand Lapin est vite arrivé et a dit :

Depuis ce jour, dès qu'il fait une bêtise,
Petit Lapin dit à son tour :

C'est pas grave !

C'est pas grave…

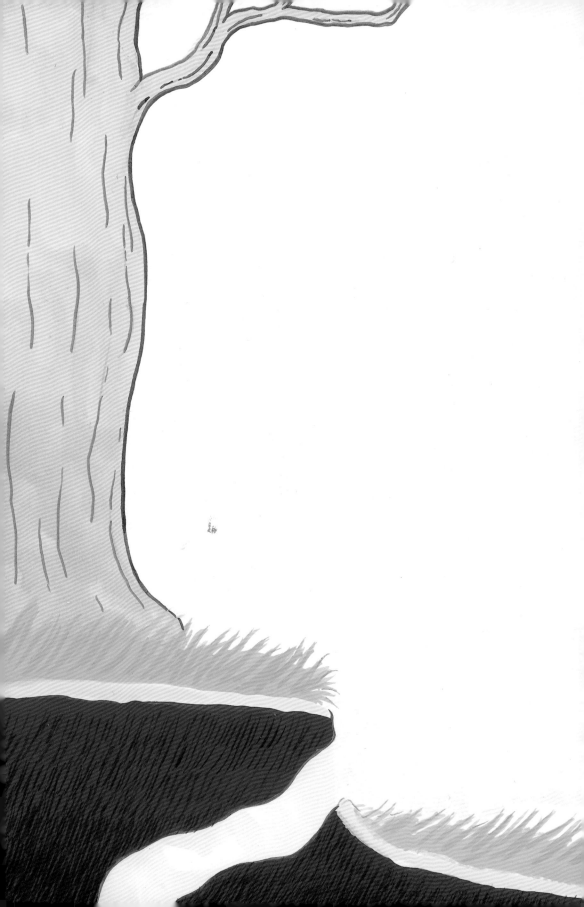

Dehors, Petit Lapin rencontre
GRANDE Grenouille qui lui demande :

T'as pas vu PETITE Grenouille ?
Elle a disparu !
Son verre de lait, la table,
le tabouret et la bougie aussi !
C'est bizarre.

Ah non !
Pas vue !

Bon, ben, ouvre tout de même l'œil.
Surtout qu'il y a un loup qui rôde,
paraît-il !

Okay !

Tiens ! Quel drôle de terrier !
se dit Petit Lapin…

qui
tout à coup
trébuche
et
tombe…

sur la table de Petite Grenouille !

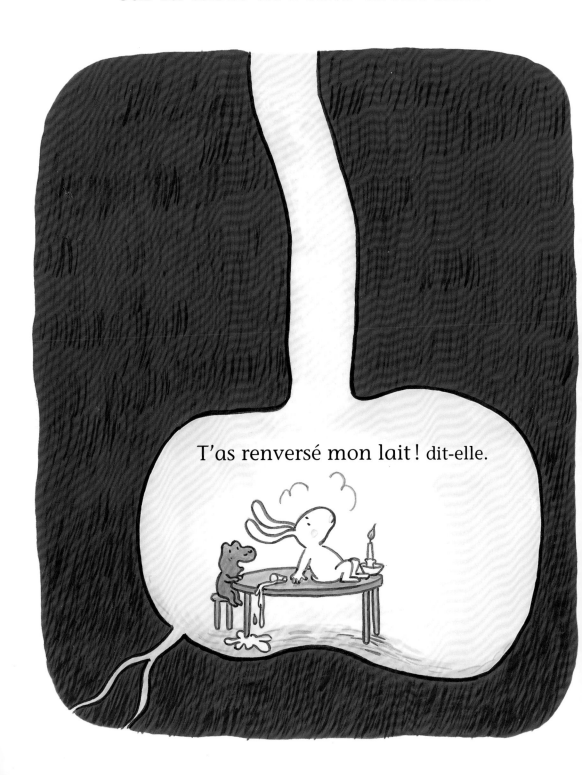

T'as renversé mon lait ! dit-elle.

Mais
le feu
fume,

fume,
fume!

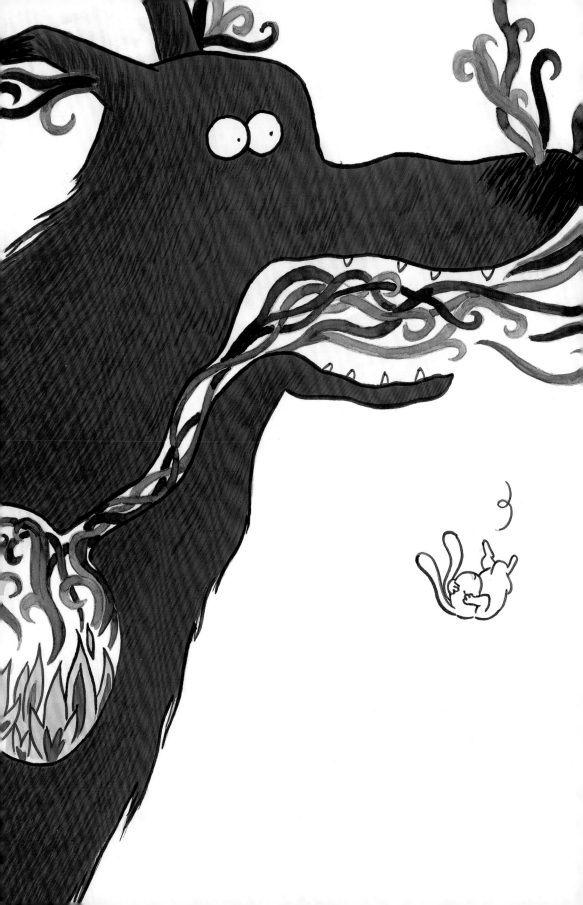

Le loup tousse, tousse, tousse !
Petit Lapin remonte, remonte, remonte

et puis tombe…

aux pieds du loup !

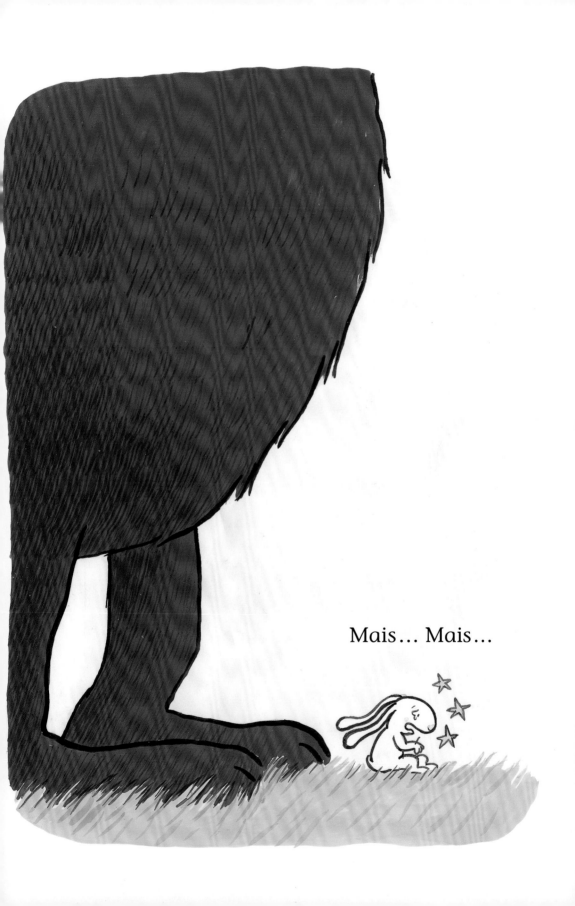

Mais… Mais…

J'ai maaaaal !

crie Petit Lapin qui retourne
vite dans son terrier.

C'est grave ?
demande
Petit Lapin,
inquiet.

Mais oui, c'est grave,
dit Grand Lapin…

... mais il y a des choses **plus graves** que d'autres.